젊은 날의 시인에게

마이노리티시선 4

젊은 날의 시인에게

To the Poet in a Youthful Days

지은이 김명환
펴낸이 조정환
책임운영 신은주
편집 김정연
표지디자인 조문영
홍보 김하은

펴낸곳 도서출판 갈무리 등록일 1994. 3. 3. 등록번호 제17-0161호
인쇄 2017년 10월 20일 발행 2017년 10월 27일
종이 화인페이퍼 인쇄 예원프린팅 라미네이팅 금성산업 제본 은정제책

주소 서울 마포구 동교로 18길 9-13 [서교동 464-56]
전화 02-325-1485 팩스 02-325-1407
website http://galmuri.co.kr e-mail galmuri94@gmail.com

ISBN 978-89-6195-169-2 / 978-89-86114-26-3 04810 (세트)

값 7,000원

이 도서의 국립중앙도서관 출판예정도서목록(CIP)은 서지정보유통지원시스템 홈페이지(http://seoji.nl.go.kr)와 국가자료공동목록시스템(http://www.nl.go.kr/kolisnet)에서 이용하실 수 있습니다. (CIP제어번호 : CIP2017026129)

김명환 시집

젊은 날의 시인에게

갈무리

서시

젊은 날의 시인에게

나는 세상을 바꾸지 못하고
스스로를 바꾸며 살았다

스스로를 바꾸는 것이
세상을 바꾸는 것보다 어렵다는 걸
미리 알았다면
이렇게 먼 길을 돌아
몸과 마음을 상하진 않았을 것이다

살아온 날들을 되돌리기엔
너무 먼 길을 걸어왔다
날은 어둡고 바람은 찬데
너는 아직도 거기
황량한 벌판에 서 있느냐
젊은 시인아

차례

1부
참회록 : 2009~2017

2부
망실공비를 위하여 : 2000~2008

3부
죽은 자의 노래 : 1991~1999

4부
우리들의 꿈 : 1987~1990

5부
고향의 봄 : 1983~1986

1부

참회록
2009~2017

어느 KTX 여승무원 이야기

한 아이가 있었습니다
꿈 많은 소녀였지요
지상의 스튜어디스를 꿈꾸던
딸이었습니다

햇살이 쏟아지던 날
낙엽을 밟으며
산으로 들로 내달리는 마음을 다잡고
도서관에서 취업을 준비하던
학생이었습니다

국민행복 코레일의
1년살이 소모품
계약직 노동자였습니다
세 살배기 딸을 둔
엄마였습니다
아내였습니다

스물다섯에 KTX 여승무원이 되어

스물일곱에 해고 되고
서른여섯에 25층 아파트
끝 모를 어둠으로 몸을 던졌습니다

국민행복 코레일이 주장하는 국민이
외주하청 위탁도급 비정규직을 제외한 국민이라면
행복을 꿈꾼 그 아이는
불가능한 꿈을 꾸었습니다

나는 보았습니다
코레일 인재개발원 식당 앞에 도열하여
고객님 안녕하세요
어디 불편하진 않으세요
활짝 웃으며 인사하던
수백 번 인사하며 예절교육을 받던
그 아이와 그 아이의 친구들을 보았습니다

나는 보았습니다
꿈의 속도로 달리는 KTX

작은 흔들림을 타고 걸어와
고객님 안녕하세요
어디 불편하진 않으세요
멋진 제복을 입고 환하게 웃던
그 아이와 그 아이의 친구들을 보았습니다

나는 보았습니다
파란 청바지에 빨간 머리띠
코레일 직접고용을 외치던
그 아이와 그 아이의 친구들을 보았습니다
그 아이들을 해고하던 문자메시지와
그 아이들을 끌어내기 위해 몰려가던
경찰들을 보았습니다
코레일의 해고가 정당하다는
법원의 판결문을 받고 울고 있는
그 아이와 그 이이의 친구들을 보았습니다

아, 나는 보았습니다
부산추모공원 가족봉안묘 6묘역

비석에 새겨진 활짝 웃는 그 아이를 보았습니다
보고 싶다 편히 쉬어라
리본 달린 꽃다발을 보았습니다
울다가 울다가 눈물이 말라
더 이상 울지 못하게 된
그 아이의 친구들을 보았습니다
가슴 깊숙한 곳에서 나오는 고통이
목에 걸리는 소리를 들었습니다

그 아이는 이제 여기에 없습니다
다시는 다시는 KTX를 탈 수 없습니다

* 이 시는 2017년 7월 17일 서울역 맞이방에서 열린 'KTX 해고승무원 문제 해결을 위한 대책위원회 집중문화제'에서 낭송되었다.

나는 쓴다

— 브레히트의 시운에 부쳐

하얀 광목 위에
나는 쓴다
빠앙!
기적을 울리며 달려온 세월
두 눈 비비고 저 멀리
아이를 업은 아내와
아내의 등에 업힌 아이를 위해
나는 쓴다
끼익, 끼이익!
아, 혀를 물고 철길에 쓰러지던 동료들
동료들의 빈소를 지키던 아주머니
허공을 쳐다보던 아이들의 텅 빈 눈망울 위에 나는 쓴다

눈을 뜨면 밥을 먹고 직장으로 달렸다
나의 노동이 아이들을 가르치고
맛난 먹거리와 따뜻한 잠자리를 주었다
이마에 구슬땀 흘러
기차바퀴 축에 기름을 쳤다
하나 둘 여차, 동료와 호흡 맞춰 침목을 깔았다

나의 노동은, 우리의 노동은
철길을 놓고 기차를 달리게 했다
그렇게 달려온 우리들
아비와 어미와 남편과 아내와 자식인 우리들

서럽던 시절,
이리 차이고 저리 차이고
하루건너 픽 픽 동료들이 철길에 쓰러지던 시절
우리는 보았다
너와 내가 함께 소리 지르면 노래가 되고
함성이 되는 것을
너와 내가 손 잡으면 단결이 되고 연대가 되어
진행, 진행, 진행, 신호기마다 파란 불빛 달고 내달려
노동이 존중받는 일터 사랑으로 믿음으로 하나 되는 삶터를 만든
철도노동자의 꿈과 긍지

저들은 모른다
자갈밭을 모른다

단 한 번도 동료들과 피눈물 흘려본 적이 없는 저들은
철길을 모른다
나 살자고 동료를 버리는 자갈밭에
레일 한 장 침목 한 장 놓일 수 있겠는가
나 살겠다고 안전을 팽개치는 철길에
열차가 단 한 걸음이라도 발을 뗄 수 있겠는가
누가 감히 나의 노동을 줄 세우려 하는가
누가 감히 우리의 노동에 성과를 따지려 하는가
누가 감히 나와 동지를
동지와 나를
갈라놓으려 하는가

보아라!
우리가 얼마나 굳세게 전진하는지
들어라!
우리의 합성이 얼마나 크게 울려 퍼지는지

한 대의 기관차를 움직이기 위해 모여든
수많은 동지들의 숭고한 노동

무엇과도 바꿀 수 없는 우리들의 꿈과 긍지를 위해
나는 쓴다
하얀 광목 위에
뚝 뚝 떨어지는 피눈물로 쓴다
아내와 아이들과 남편과 어머니의 얼굴 위에
그 해맑은 미소 위에 눈망울 위에
총파업승리!
물러설 수 없는 우리들의 염원
총파업승리라고 쓴다

* 이 시는 2016년 10월 19일 대학로에서 열린 '철도노동자 총파업승리 결의대회'에서 낭송되었다.

가다오 나가다오

— 늙은 철도노동자가 대한민국 군대에게

내가 머리 박박 밀고 입대할 때
울 엄마 버스정류장까지
눈물 흘리며 따라왔다
낮은 포복 높은 포복 박박 기며
오직 하나 제대할 날만 손꼽아 기다렸다
나는 내 젊음과 청춘을 그렇게 보냈고
조국은 나에게 제대를 명하며 개구리복을 주었다

제대를 하고도 나는 땀 흘렸다
판초우의 입고 빗속을 행군하던 나는
우비 입고 자갈밭을 달렸다
유격훈련 외줄타기 급강하는 놀이공원 수준
목숨 걸고 기관차에 매달려 철길을 누볐다
아이들을 가르치고 밥 세끼 먹기 위해
나는 이를 악물고 노동하며 늙었다

파업을 좋아라고 할 노동자가 어디 있는가
나의 땀이 나의 노동이 나의 고용이
온존하게 지켜지는 일터를 만들기 위해

일손을 놓았을 뿐이다

조국아, 대한민국 군대야
너희가 용병이냐
일당 20만 원 받고 파업노동자 목숨줄 끊기 위해 투입된
내 어린 후배들아 아들보다 젊은 후배 군인들아
가다오 나가다오
조국아, 대한민국 군대야
제대할 때 받은 개구리복 돌려줄 테니
제발 내 일터에서 가다오 나가다오

나는 내 청춘을 국민의 안전을 지키기 위해 바쳤다
나는 그렇게 늙었다 조국아, 대한민국 군대야
너 없이도 나는 나를 지킬 수 있으니
내 밥줄에 겨눈 총부리 거두고 이제 가다오 나가다오

* "가다오 나가다오"는 김수영의 「가다오 나가다오」에서 빌려왔다. 이 시는 2016년 11월 3일 국방부 앞에서 열린 '국방부 규탄대회'에서 낭송되었다.

참회록

— 오장환의 시운에 부쳐

2016년 10월 29일 밤에
청계광장에서 나는 울었다
왼쪽 옆에 어린 여학생 오른쪽 옆에 어린 남학생
사이에 끼어 촛불 들고 박근혜는 하야하라
목이 터져라 외치며 나는 울었다
1987년 6월 10일이 생각나서 울었다
30년 동안 이 모양 이 꼴인 나라
겨우 이따위 나라 만들어놓고
희희덕거리던 나는 기성세대 꼰대
아들에게 딸에게 조카에게 손자에게 손녀에게 부끄러워 나는 울었다

우리가 만들고 싶었던 나라는 이런 나라가 아니었다
나의 땀과 나의 노동이 정당하게 대접받는 나라
나의 노래와 나의 외침이 억압받지 않는 나라
나의 꿈과 나의 희망을 그 누구도 앗아갈 수 없는 나라를 만들기 위해
우리는 싸웠다 피 흘렸다 개처럼 끌려가며 짓밟히며 외쳤다
민주주의 만세! 민주공화국 만세!

그러나 보아라!
노동 위에 군림하는 자본
서민 위에 군림하는 정부
시민 위에 군림하는 저 국회를 보아라
우리가 도대체 어떻게
이 나라의 어린 아들에게 어린 딸에게 고개를 들 수 있나

우리가 거리에서 광장에서 보낸 청춘은 헛되고도 헛되었다
무능한 건 부패한 건 타락한 건 이 사회에 눈감은 우리가 아니더냐
저 탐욕과 타락과 부패와 무능의 정부를 국회를 언론을 재벌을 욕하며
술자리에서나 소리 지르는 우리는 기성세대 꼰대들

그래서 나는 쓴다 참회록을 쓴다
광장에서 거리에서 촛불 들고 목이 터져라
썩은 정권 물러가라 외치지만
함부로 어린 학생들 눈 마주치지 못하고

함부로 손잡지 못하고 함부로 어깨 겯지 못하고 소리만 고래고래

눈물만 펑펑 고래고래 소리소리 지르다가 돌아와 참회록을 쓴다

파이팅, 우리 아빠

저, 막내예요
아빠 해고될 때 초등학생이던 제가
군인이 되어 휴가를 나왔습니다
손꼽아 기다리던 휴가 나왔는데
아빠는 또 바쁘네요
생각이 많으면 아프다고 아플 시간 없이
바빠야 한다고 말씀 하셨지요

옛날 사진첩을 뒤지며
웃음이 많던 엄마를 떠올립니다
아빠가 해고되던 날
엄마는 웃음을 잃었습니다
누나도 형도 나도
아빠가 미웠습니다

남들이 부러워하는 직장
그냥 다니면 되는데
동료들을 위해
안전한 철도를 위해

바보 같은 아빠는
엄마와 누나와 형과 나를 아프게 했습니다

하지만 누구보다 아팠을 아빠

옛날 사진첩을 보니
아빠는 웃는 사진이 없네요
아빠 출근하며
여보, 다녀올게
이놈들아, 아빠 돈 벌러 간다
환하게 웃곤 했는데

아빠 해고될 때 초등학생이던 제가
군인이 되어 휴가를 나왔습니다
아무리 바빠도 아빠, 제 편지 읽을 시간은 있지요
아빠, 이제 얼굴 좀 펴세요
다음 휴가 땐 꼭 복직
파이팅, 우리 아빠!

푸른 깃발 펄럭인다

— 해고동지들의 복직을 함께 기뻐하며

오는구나
이제야 돌아오는구나
밤늦게 배낭 짊어지고 함께 떠난 길
1년 2년 3년 4년 5년 6년 7년 8년 9년 10년 11년 12년 13년 지나
절룩 절룩이며 이제야 오는구나

이게 꿈은 아니겠지
사랑하는 사람들
나 없는 동안 별 일 없었나
아이들은 잘 자랐나 시집 장가는 보내고
어머님은 별고 없으신가
자네들이 현장을 지켰으니
기어이 내가 오지 않았나

돌아왔구나
비바람 강을 건너
눈보라 산을 넘어
잊지 않고 돌아왔구나

모두들 벌써 돌아와 푸른 깃발 흔들었는데
코 흘리던 아이들 눈부신 청춘인데
이제야 허연 머리 침침한 눈으로 돌아와
함께 떠나던 날이 어제인 것처럼 환하게 웃는구나

어서 오시게
모두들 벌써 돌아와 푸른 깃발 흔들었으니
이제 무거운 배낭 내려놓고
어서 오시게 빨리 오시게
긴 다리 저벅 저벅 빠앙 빠앙 기적 울리며
달려오시게
떠나던 날처럼 훌쩍 오시게

이하역

이제 이곳에 기차는 서지 않는다
백 리 밖에서 완행열차를 타고
손두부를 사러 오던 점방은
안 노인이 죽고 문을 닫았다
깨진 창 사이로 밀린 고지서
바람에 흔들릴 뿐 흔들려도
가지 못하는 괘종시계 저편
떠나간 사람들은
어느 구비 돌고 있을까
기적소리도 없이 열차는 달려가고
떠나갈 사람도 돌아올 사람도 없는
이제 이곳에 기차는 서지 않는다

봄날에

자고나니 봄이 와
선암매 보러 갔네
눈부셔라 진달래
히어리 흐드러져
훌렁훌렁 얼레지
바람이 부네

압해도에 가면

압해도에 가면
시 쓰지 마세요
사랑이라던지
눈물이라던지
밀려왔다 밀려가는
파도 같은 거
젖은 양말처럼 벗어던지고
막걸리 한 잔
훅 털어버리세요
저녁노을 타면
세상이 시 아닌가요

와온해변에서

밀물에
썰물에
흔들리며 살아온 날들 위로
해가 진다
갈 길 먼데
자꾸 뒤돌아본다
지나온 날들
아픔 아닌 것이 없으니
이렇게 저무는구나
아름답던 날들이여

2부

망실공비를 위하여
2000~2008

망실공비를 위하여 1

소비에트연합과 동구라파가 무너진 이후
나는 저 킬리만자로의 표범처럼
외롭고 쓸쓸하게 죽어가고 싶었다
옛사랑을 만나면 회한과 연민뿐
무시무시한 고독은 항상 내 곁에 있었다
혁명의 시대는 가버린 것일까
총 한 번 못 들어보고
이렇게 죽어야 하는 것일까
나는 저 킬리만자로의 표범처럼
몹시 외롭고 배가 고프다

망실공비를 위하여 2

나는 혁명을 노래해야 할 시인이었지만
도둑처럼 다가올 새벽을 믿지 못했기 때문에
빛살로 날아오르는 노래 한 곡 부르지 못하고
산길을 서성이며 젊은 날을 보냈다
한번쯤 크게 기지개를 켜고
산을 내려가야 할 때가 되면
아주 낮고 쓸쓸한 휘파람을 불며
저녁 안개 속으로 사라지고 싶었지만
나는 너무 오래 산길을 걸어왔다
모두가 떠나간 외로운 안개 숲에서
나는 전향을 꿈꾼다
눈물 속에 타오르는
붉은 태양을 노래하기 위해
내 젊은 벗들처럼 산을 오르고 싶다

첫사랑

오랜 징역을 끝낸
김남주 시인이
5·1창작단을 하고 있던 내게
그런 이름을 걸고
글을 써야 직성이 풀리냐고
그냥 좋은 글을 쓰면 안 되냐고 했을 때
남조선민족해방전선보다는
부드럽지 않냐고 말하고 싶었지만
웃고 말았다

그가 죽었을 때
나도 첫사랑을 간직한 채
쓸쓸히 죽었으면 싶었다

진보정당의 의회진출을 지지하는 선언에
이름을 걸 거냐는
송경동 시인의 전화를 받고
아직은 아니라고
아직은 볼셰비키의 친구로 남고 싶다고 했지만

다음 날 다시 전화를 걸어
어제의 답변은 실수였다고
아직이라는 부사를 취소한다고 말했다

슬펐다
변해가는 내가 슬펐지만
변하지 않는 나도 슬펐다

돋보기

결국은 돋보기를 썼다
안 보이는 게
불편해서가 아니라
세상을 외면하는
내가 미워서

볼 만큼 보고
쓸 만큼 썼으므로
세상에 눈 감으면
편할 줄 알았다

나이를 먹는 거보다
더 슬픈 건
상처받기 싫어서
사랑하지 않는
나 자신이었다

계약직

— KTX 여승무원이 되고 나서

KTX 여승무원이 되고 나서
나는 껌을 씹지 않는다
컵라면도 통조림도 먹지 않는다
봉지 커피도 티백 보리차도
드링크도 탄산음료도 마시지 않는다
물티슈도 내프킨도 종이컵도
나무젓가락도 볼펜도 쓰지 않는다

눈이 하얗게 내리던
크리스마스이브
아스테이지에 돌돌 말려
빨간 리본을 단
장미 한 송이 받아들고
나는 울었다
한 번 쓰고 버려지는 것들이
가여워서
눈물이 났다

제복을 입고 스카프를 두르면

어느 삐에로의 천진난만한 웃음보다
따뜻하고 화사하게 웃어야 했지만
웃으면 웃을수록
자꾸자꾸 눈물이 났다

사는 것이
먹고사는 것이
힘든 줄은 알았지만
이렇게 구차하고 비굴하고
가슴이 미어질 줄은 몰랐다

KTX 여승무원이 되고서야 나는
이 세상이
한 번 쓰고 버려지는 것들의
눈물이라는 걸 알았다
흐르고 넘쳐
자꾸자꾸 밀려오는
파도란 걸 알았다

마침표

언제부터인지
마침표를 찍지 않는다
마침표를 찍어 놓고
지웠다 찍었다
새운 밤도 많았지만
언제부터인지
시가 갇혀버릴 것 같아
다시 노래를
부를 수 없을 것 같아
마침표를 찍지 못한다

자전거

나이 오십에
자전거를 배웠다
초등학교 졸업하도록
자전거 못 타는
자식놈이 답답해서

몇 번 넘어지면 될 것을
툭툭 털고 일어서면 될 것을

구르는 바퀴가
멈추면 쓰러진다는 게
슬픈 나이에
쓰러지는 게 두려운 나이에
자전거를 배웠다

지하철 1호선

지하철 1호선
첫차를 타보셨나요
새벽 다섯 시면
하루를 시작하는

지하철 1호선
막차를 타보셨나요
새벽 한 시면
하루를 마감하는

어디로 와서
어디로 가는지
피곤한 얼굴들
그 어깨 위에 내리는
슬픔

흔들리며 달려가는
목마름을 보셨나요

돌

내가 오르던 산에는
꽃이 피지 않는다
내가 건너던 강에는
물고기가 헤엄치지 않는다
나는 바람이거나 물결이었지만
산과 강엔 안개가 내리고
나는 나조차 흔들 수 없는
돌이 되어 버렸다

오십

제야의 종소리를 들으며
아내와 맥주를 마셨다
나이 한 살 먹는 거
별거 아니지만
오십은 섭섭했다

아침에 일어나서야
제야의 종소리를 들으며
해마다 읽어오던
공산당선언을
읽지 않았다는 걸 알았다

사십구 년의 꿈이
아프게 밀려왔다

3부

죽은 자의 노래
1991~1999

고요한 돈강

십 년만 더 젊었더라면
현장에 들어가 노동운동을 했을 거라던
백발이 성성한 이기형 선생님이
새로 나온 시집을 주고 갔다
고요한 돈강 개정판 교정을 보다
엉거주춤 시집을 받은 나는
일흔다섯 노인네의 시를 읽으며
내 나이를 생각했다
고요한 돈강은 말없이 흐르고
수많은 사람들의 삶과 고통과 희망과 분노를 싣고
말없이 흐르고 십 년이 아니라 사십 년도 더 젊은
서른세 살이 팽개치고 나온 현장은 아득하기만 한데
일흔다섯이나 먹은 노인네가
역사의 회한과 칼빛 매서운 희망을 노래한다
운동이고 나발이고 입에 풀칠이나 하자고
교정을 보는 고요한 돈강은 말없이 흐르고
역사와 역사의 강은 말없이 흐르는데
일흔다섯 젊은이의 시집을 읽는
서른세 살 노인네는 부끄러웠다

신촌블루스

1992년 5월 9일 민자당 창당 2주년을 기념하여 타도 민자당을 외치던 학생들에게 빵! 빵! 빵! 최루탄을 쏘아대던 전투경찰들이 돌아갈 무렵 나는 술집에서 나왔다 깨진 보도블럭과 병조각을 가려딛으며 술을 한 잔 더 해야겠다고 생각했다 술을 한 잔 더 해야겠다고 생각하다가 술을 그만 마셔야겠다고 생각했다 술을 한 잔 더 해야겠다는 생각과 술을 그만 마셔야겠다는 생각 사이에서 나는 방황했다 슬펐다 이렇게 술을 마셔도 되는 걸까 서른네 살의 목마른 나이에 소련에서의 사회주의의 실패가 3·24총선에서의 민중당의 해체가 남한사회주의노동자동맹의 와해가 도대체 어떤 설득력을 가지는 것일까 자본주의의 위대함에 축배를! 1992년 5월 9일 나는 슬프다 그리고 취했다 그리고 부끄럽다 그렇다 이제 나는 자본주의의 편이다 술잔을 들고 나는 전진한다 모스크바 붉은 광장에서 레닌 동상을 쓰러뜨리고 3·24총선에서 민자당에 표를 찍고 남한사회주의노동자동맹 중앙위원들을 급습한다 나는 진실을 부정한다 자유와 평등과 평화를 부정한다 오! 나는 총을 쏜다 탱크를 몰고 국회의사당을 점령한다 광주시민을 학살한다 빵! 빵! 빵! 아 나는 죽어가는 나를 본다

시인의 죽음

그가 죽었다는 소식을 들었을 때
나는 울었다
내 서른네 살
목마른 삶이 서러워서
한때는 살을 비비고 살았던
그리운 사람들
하나둘 떠나가고
얼굴 못생긴 몇이 남아
끝내는 그 혼자 남아
차가운 도시의 가로등 밑에서 죽어갔다는
내가 버리고 온 그가 바보 같아서
너무나 쉽게도 이별을 했던
내가 부끄러워서 나는 울었다
이 차가운 도시에서의 생존을 위해
나는 그의 따뜻한 마음을
얼마쯤 훔쳐서 달아났던 것일까
그는 이 차가운 도시의 마지막까지 걸어와
아무도 미워하지 않고 죽어갔다

오류동 까치

기쁜 소식 전하기 위해
이 세상에 태어난 것은 아니다
서러운 꿈을 안고
오늘도 내일도 전철에 흔들리며 가는
목마른 사람들은
네 버거운 삶의 비명을
희망이라 부르지만
시멘트공장 연탄공장 철강공장 비료공장을 지나
2만5천 볼트 고압선 사이를 누비며
한끼 양식을 구하는
네 곡예비행의 비애를
자유라 부르지만
네 24시간 맞교대의 노동과 휴식이
희망과 자유라는 아름다운 언어로 기만되는
이 기막힌 세상의 이치를 너는 알고 있느냐
목마른 나와 내 이웃의 슬픈 새야

팔푼이 이권필

니기미 서른네 살 노총각 이권필은
교도관 소방관 구르고 구르다가
이팔망통 조진 인생
그나마 해먹을 게 있어 좋다지만
니기미 좋기도 하겠다 이권필은
기본급 22만3천5백 원
24시간 맞교대
새벽 쓰린 속 라면으로 때우고
2만5천 볼트 고압선 아래
달리는 기관차에 뛰어타고 뛰어내리고
자갈밭 달리면서
위험수당 2만 원
니기미 호강한다 이권필은
언니, 나 마음이 비단결 같은 사람이어요
학교 다닐 땐 칠판만 본 사람이어요
뻥3 덕팔이 같이 웃는 이권필은
니기미 잘빠졌다 스컹크 방귀 뽕뽕 뀌며
아, 요즘은 멍멍이 기차에 안 깔려 슬퍼요
역 주변 배회하는 눈먼 개

토치램프로 끄슬러 잡아먹고
우리는 영혼이 순수해요
놀부 심술살 씰룩이며 웃는 이권필은
청룡완월깔꾸리 비껴차고 털털 적토오토바이 내달리며
애마부인 변강쇠 뼈와 살이 타는 밤
홍콩 냄비또가리 일본 조갑지 양키 니노지
키득키득 호랑이눈썹 휘날리며 쌕쌔기 빌리러 가는 이권필은
니기미 좆같은 세상
정에 살고 의리에 죽는 싸나이 돌쇠 이권필은
니기미 사기는 안쳐요 나, 눈물 많은 사람이어요
마음 내키면 1류 요리사 특급 설거지사
방청소 이불빨래 새마을사업
궂은 일 도맡아 하는 이권필은
국록을 먹는 국가공무원
니기미 9급도 아닌 기능직 10등급
위험수당 2만 원에 목숨을 저당잡힌 팔푼이
미워도 다시 한번
니기미 더러운 세상 미워할 줄 모르는
바보 병신 쪼다 머저리 등신

죽은 자의 노래 1

목욕을 하다 쓰러진 이후
나는 다시 시를 쓰기 시작했다
험난한 세월 가파르게 살아온
지난 십여 년의 삶보다
아, 이젠 시를 못 쓰겠구나 하는 생각이
먼저 들었다면 나는 역시 3류 시인
좋은 세상이 오면
시는 얼마든지 쓸 수 있다고
잘난 체 하던 내가 얼마나 우습고 부끄러운지
사실, 정신을 잃어가며 내가 만난 건 허무였다
그러니 나는 이미 죽은 게 아닌가
서른일곱의 나이에
잃은 것은 정신이 아니라 삶이었다
목욕을 하다 쓰러진 이후
나는 다시 시를 쓰기 시작했지만
그것은 이미
죽은 자의 노래 아닌가

죽은 자의 노래 2

험난한 세상 살아가면서
나는 내 삶의 무게를 회피하기 위해
조금씩 삐딱하게 서서 바람을 맞았다
살아가는 것이 슬프면 슬플수록
내 그림자는 길게 드리워지고
나는 음지를 찾아 헤매었다
길은 갈수록 허허벌판
비바람 피할 바위 하나 보이지 않고
따가운 햇볕 가릴 나무 한 그루 없었다
슬퍼서 아름다운 사람들
소리쳐 부를 수 없었고 나는 혼자였다
알몸인 채로 건너야 할
너른 들이며 산과 강이 아득하기만 한데
이제 어떤 절망의 노래를 부르랴
조그만 손짓 하나에도 달려갈 수 있었던 젊음은
먼 기억의 저편으로 사라져 가고
이제 나는 무거운 육신을 끌고 가야 한다

야간열차

우리들의 잠은 불편하다
보이는 것은 어둠뿐 열차는 덜컹이며
작은 불빛 하나로 세상의 끝을 향해 질주하지만
종착역에 닿으면 우리들은 또 어디론가
뿔뿔이 흩어져야 한다

열차감시

나는 유배당했다
휙휙 지나가는 열차 감시 하러
비둘기호 여섯 번 통일호 두 번 서는
시골역으로 왔다
푸른 깃발 붉은 깃발 도르르 말아
깃대를 흔들면
빵! 기적을 울리며
열차는 달려가고
나는 기관사에게 손을 흔든다
먹고살기 위해
한마디 항의도 못하고
나는 이곳으로 왔다
남들은 돈을 쓰고 온다는 시골역 운전원
눈비 안 맞고
죽을 걱정 없어 좋겠다고
동료들은 손을 잡으며 눈시울을 적셨지만
나는 싸우지 못했다
빵! 기적을 울리며
열차는 달려가고

싱글벙글 잘웃던 건욱이의 잘라진 허리와
잘생긴 영배의 얼굴을 가리고 헐떡거리던
산소마스크가 멀리 멀리 달려가고
서른여덟 살 나는 싸우지 못하고
깃대를 흔든다
아, 푸른 깃발
노동자의 단결과 새 희망을 위해
기관차에 올라타고 전진! 전진!
푸른 깃발 힘차게 흔들지 못하고
나는 시골역에서 깃대를 흔든다

어색한 휴식

나는 오이에게 미안하다
나이 스물이 되면서
이 땅의 시인이려면
민주화운동을 해야 하는 줄 알았다
나는 고추에게 미안하다
나이 서른이 되면서
이 나라의 시인이려면
노동운동을 해야 하는 줄 알았다
나는 호박에게 미안하다
자식노릇 한 번 제대로 못했는데
아버지는 늦도록 고생만 하시다 돌아가셨다
나는 콩에게 미안하다
어머니는 집도 절도 없이
몇 년을 떠돌아 다니셔야 했다
나는 토마토에게 미안하다
아내는 첫아이를 낳고도
남편 얼굴 제대로 볼 수 없었다
나는 딸기에게 미안하다
하지만 늦게 본 아들 녀석이

쑥쑥 자라는 걸 보면 가슴이 뿌듯하다
내 철들 무렵 바라본 세상은 암흑이었다
지금은 새벽동이 터오고 있다
나는 가지에게 미안하다
조합활동을 하다 시골역으로 쫓겨나고
오랜만에 휴식을 갖는다
길에서 벽돌을 주워오고
산에서 흙을 퍼나르고
베란다에 작은 화단을 만들었다
오이 고추 호박 콩 토마토 딸기
가지 부추 파 생강 수박 참외 상추
채송화 맨드라미 사르비아 양분꽃
봉숭아 해바라기 이름모를 들꽃들
내 불쌍한 화초들이 지르는 비명소리를 들으며
나는 내가 잔인하다는 생각을 한다
내게 휴식은 어색하다

송별회

아세아시멘트 덕소공장 한반장이
제천으로 발령 나던 날
하화반 사람들은 소주를 마셨다
재구는 먼 산 쳐다보며 작대기를 쑤셔대고
고씨는 꽈당꽈당 화차를 박아댔다
허허벌판에 싸이로를 세운지 십사 년
출하량은 다섯 배로 늘고
공장은 두 배로 커졌는데
오십이 넘은 한반장
죽어도 사표는 쓸 수 없다고
가슴에서 칼을 꺼낸다
생목살 타들어 가는데 조씨 소주를 붓는다
이글거리는 불꽃에
끝내 한반장 울음을 터뜨린다

봄비

실업의 거리에 비가 내린다
나는 우산도 없이 걷는다

내일이면 일자리가 없어진다
먹고살기 위해
너무 많은 힘을 써버린 나에게는
비축된 식량도 무기도 없다

내일이면 나는 식솔들을 이끌고
길거리를 헤매거나
무기고를 털어야 한다

실업의 거리에 비가 내린다

갈매기의 꿈

내가 희망을 버렸을 때
비겁해지지 않기 위해서
모든 사람들을 저주했을 때
나의 노래는 입 속에서 맴돌고
옛날은 추억으로만 있었다
산다는 것이 조금은 외롭고 쓸쓸하기 때문에
아름답던 옛노래의 기억을 뒤로 하고
끝없이 멀어져 가기만 하는 저녁 바다처럼
어둠에 잠겨들 수 있었던 것일까
왜 나는 삶에 지친 갈매기가
돌아갈 곳이 없다고 믿었던 것일까
나의 노래는 이렇게 끝없이
가슴 깊숙한 곳에서 흐르고 있는데

4부

우리들의 꿈
1987~1990

사북에 이르면

산굽이 돌아 사북에 이르면 슬픔이 묻어난다
저물어 돌아가는 길을 따라 어둠이 내리고
저린 가슴으로 견뎌온 생애가 등성이 넘어
보이지 않는 빛살로 다가오면
가난을 사고파는 시장
어두운 골목으로 아이들이 달려가고
몸살을 앓던 젊음은 탄더미로 묻히는데
끝 모를 어둠으로 내려가는 갱도를 따라
지친 육신은 잠겨들고 희미한 불빛으로
바라볼 수 있는 희망은 지척일 뿐
더 깊은 어둠으로 들어가야 하는
내일은 보이지 않는다

지장천

지장천 검은 물에 달 뜨면
가난에 목마른 사람들은
슬픔을 건지러 나간다
가난으로 이어지는 삶처럼
검은 물이 흐르고
쓰레기더미 위로 달빛이 내리면
노동에 지친 사내들은
몇몇이 모여 주정을 하고
때묻은 포대기에 아이를 업은 계집애는
도망간 어미를 기다린다
여기저기 떠돌다
산굽이 돌아내리는 물처럼
흘러온 삶을 건지면 헤진 옷과 연탄재
찌그러진 밥그릇이 달빛에 부서지고
사택촌 백열등이 하나둘 스러지면
가난에 목마른 사람들은
가슴 가득 슬픔을 안고
어둠 속으로 사라져 간다

활화산

광산쟁이 5년을 마치면
그동안 부은 적금과 퇴직금을 보태
고향에 내려가 돼지라도 몇 마리 키우며
장가도 들고 부모님도 모셔야겠다고
막걸리 한 잔도 제대로 안 마셔
노랭이 두더지라고 놀림을 받던
선산부 이형이 탄더미에 깔렸다
중학교를 마치고 고향을 떠나
이 일 저 일 안 해본 일이 없고
한때는 배를 타기도 했다는 이형은
새까만 손으로 하숙집 도시락을 까먹으며
돈 몇 푼에 팔려다니는 강아지 새끼처럼
우리 목에는 올가미가 걸려 있다고
하얀 이를 드러냈지만 개구멍 속을
헐떡이며 기고 땀범벅이 된 작업복을 짜내며
발파를 하고 탄을 캐고 동발을 세우는
두더지에 비하면 개팔자가 상팔자라고
두 눈을 빛내곤 했었다
몇 푼의 보상금과 유골을 안고 돌아가는

가족들의 뒷모습처럼 한세상 살아가는 게 무거워서
부모님의 주름살과 힘겨운 노동
뻐저린 가난에 눌려 두 눈을 흡뜨고
몸부림치다 축 늘어진 이형의 주검을 끌어내며
햇돼지 박군은 눈시울을 적셨지만 막소주 몇 병으로
이형을 떠나보내며 가슴에 응어리진 불을 켠다
주위를 맴도는 죽음과 함께 어둠으로 묻히는 막장인생
몇 푼 보상금에 팔려 끝끝내 탄더미에 묻힐지라도
우리들의 목에 시커먼 올가미를 드리우는
더러운 착취의 세상에 캐빈을 치고
끝없이 무너져내리는 탄더미에 불을 놓아
지맥을 뚫고 치솟아오르는 활화산처럼
내일은 우리들의 세상을 밝히고 싶다
선산부 이형도 후산부 박군도 톱과 곡괭이
날선 도끼를 빛내며 억센 근육으로 지맥을 뚫고 일어서
서로의 가슴에 불을 켜고 한데 어우러져
내일은 우리들의 세상을 밝히고 싶다

물줄기

가공반 이형이 맞선을 보고
그날밤으로 끝장을 봤다고 자랑했을 때
목포의 눈물을 기가 막히게 잘 부르는 이형이
왠지 서글프게 보였던 것은
전국을 떠돌아다니며 펌푸공사를 하던 이야기를
신물이 나게 떠들어대던 소주에 절은 낭만이
이제 그의 주름살처럼 시들어가고 있다고
문득 생각이 들었기 때문이다
아홉 살에 집을 뛰쳐나와
신문팔이 껌팔이 구두닦이 고물장사
중국집 뽀이 공사판 데모도
안 해본 일이 없다는 이형은
돈을 벌면 기계를 사서 물길을 뚫으며 다니겠다고
언제나 장담하곤 했지만
중신을 서준 영선반 김씨 아주머니가
학벌을 물었을 때 말을 못하던 부끄러움이
자꾸만 마음에 걸렸던 것은
땅 속 깊이 숨어 있는 물길을 찾는 것처럼
앞으로 찾아나가야 할 이형의 살길이

보이지 않을 거라는 불안감 때문이 아니라
우리도 언젠가 한번쯤은
기가 막힌 펌프쟁이를 만나
콸콸 솟아오르는 물줄기처럼
힘차게 힘차게 솟구치고 싶다는 생각이
불현듯 들었기 때문이다

우리들의 꿈

창수녀석이 누구라던가 소매치기 출신 권투선수처럼
챔피언이 되어 돈을 어마어마하게 벌어야겠다고
노량진 어디의 권투도장에 나가기 시작했을 때
나는 한 달 방세와 우리들의 꿈에 대하여 생각했다
국민학교를 마치고 객지생활을 시작해
마찌꼬바를 전전하며 기술을 배우고
한때는 야학을 기웃거리며 피곤한 육신을
진학의 꿈으로 달래기도 했던 창수는
십여 년의 기름밥과 가리봉동 벌집과
고향을 떠나와 같은 공장에 다니게 된
동생녀석 사이에서 지쳐 있었다
월부로 양복을 맞춰 입고 정종을 사들고
고향에 내려갈 때마다 서울 가서 성공했다고
졸졸 쫓아다니는 마을 꼬마녀석들이
자꾸만 마음에 걸린다는 창수는
늦게 취해 돌아온 날이면 불쌍한 자기 몸뚱아리가
정말 지긋지긋한 기름밥이 뱃속에 가득 차서
파란 쇳조각이 꾸역꾸역 기어나오는 기계처럼
털털거리는 기계처럼 생각된다고 씁쓸하게 웃었지만

우리들의 꿈이 돈을 어마어마하게 버는 것이라면
상대방을 때려눕히고 돈을 버는 것이라면
때리면 때릴수록 제자리로 돌아오는 샌드백에
우리들의 꿈은 가위눌려 있다
공장마저 때려치고 권투도장에서 합숙을 하며
이번만은 꼭 성공할 거라고
열심히 샌드백을 치던 창수가 피범벅이 되어 돌아오던 날
피묻은 팬티에 가로새겨진 상품광고와
부은 눈 일그러진 입술을 보며
나는 한 달 방세와 우리들의 꿈에 대하여 생각했다

여린 손 곱게 들어

밀린 숙제를 마치고 일기를 다 쓰도록
아빠는 돌아오시지 않았습니다

지루했던 장마가 지나가고
찌는 듯한 불볕더위가 계속되었지만
아빠는 돌아오시지 않았습니다

밀린 빨래며 바느질이며
늦도록 집안일을 마치고 난 엄마는
아빠에게 기나긴 편지를 쓰다 말고
제 손을 꼬옥 잡았습니다

아빠가 걸어가는 멀고 험한 길이
아빠와 엄마, 언니, 오빠의 가시밭길이

그리운 사람들 사랑하는 사람들
두 손 꼬옥 잡고 서로를 일으켜 세워

쓰러지고 밟히고 지쳐 혹은 누울지라도

피투성이 포복으로 함께 가는 길이라며
제 손을 꼬옥 잡았습니다

그리운 사람들 사랑하는 사람들
두 손 꼬옥 잡고 함께 가는 길

여린 손 곱게 들어 그리운 이름
사랑하는 이름 불러봅니다
아빠! 힘내세요

이제 가자, 네 형제들 내 살붙이들과

중환자실 한구석에 누운 시커멓게 그을은 네 육신을 보고
이 에미의 가슴은 미어지는 듯했다
찢어지는 아픔이야 어찌 말로 하겠냐만
지금이라도 엄마! 하고 소리치며
대문을 밀치고 달려들 것 같은 네가
영영 이별이라니 도무지 믿어지지 않는구나
그 잘난 돈 몇천 원을 못내서 학교를 그만두고
단돈 오백 원 옷보따리 달랑 들고
돈 많이 벌어오겠다며 서울로 떠나는 너를 부여잡고
이 에미는 눈물을 뿌렸지만 밭고랑을 매다가도
두엄을 치다가도 문득 네 생각이 나면 가슴에 못을 박았다
평화시장, 새벽 두 시까지 세 시까지 미싱을 박고
꾸벅꾸벅 졸며 재단을 하다가도 문득 고향 생각이 나면
피로를 잊는다는 네 편지구절이 쿵쿵 대못으로 박혔단다
하지만 종수야, 가난이 우리의 잘못이 아니라고
우리도 당당하게 떳떳하게 살아갈 수 있다고
힘주어 말하는 너를 보고 못난 이 에미는
가슴이 덜컹덜컹 내려앉았었지만 시커멓게 그을은
네 육신을 보듬어 안고 피눈물 삼키며

네 말을 다시 가슴에 박는다
이 에미 가슴에 불을 지르고
두 손 더듬어 너를 보듬어 안으며
통곡하는 네 형제들을 얼싸안으며
내 살붙이들을 확인한다
네 죽음을, 온몸으로 뜨겁게
활활 타오르며 외쳤던 분노를 노여움을 확인한다
그래, 종수야 이제 가자, 네가 일하던 공장을 지나
네 형제들이 일하는 공단을 가로질러 못 이룬 일들
형제들과 살붙이들에게 남겨주고 너를 따라오라고
성큼성큼 큰 걸음으로 함께 가자고
뜨거운 불길로 소리치며 가자
피눈물 삼키며 살이 타들어가는 고통 속으로
지긋지긋한 가난과 굴종의 사슬들을 깡그리 사르며
네 형제들 내 살붙이들과 함께 가자, 종수야!

* 이 시는 고 김종수 열사의 어머니와 누이동생의 이야기를 정리한 것으로 영결식에서 누이동생에 의해 낭송되었다.

우리를 헤어져서 살게 하는 세상은 1

누나가 집을 나간 것은 옳지 않다
어머니가 어렵게 마련해준 돈 속에는
말하진 않았지만 내 한 달 월급과
일 년 동안 갚아야 할 대부돈도 들어 있었다
가리봉동 벌집에서 밤새도록 악몽에 쫓기다가
아침에 일어났을 때 문틈으로 새어든 연탄가스에
한 녀석은 나가떨어지고 허기진 배를 달래며
비틀거리는 두 다리를 추스리고
그 알량한 일당을 벌겠다고 공장에 나갔던 것은
내가 가난하기 때문만은 아니었다
검정고시 준비를 하겠다고 야근하는 동료들의
이 눈치 저 눈치를 살피며 빠져나올 때
너만 공부하고 싶은 게 아냐, 녀석아
딱딱거리던 정형의 마음을 이해할 수 있다
뼈빠지게 일해봤자 결국은 굽신거리며
살 수밖에 없다는 것 누군들 모르겠는가
하지만 우리는 함께 살아야 한다
가난하기 때문에 집을 나가야 한다면
배부른 사람들만 함께 살 수 있단 말인가

소위 대학을 나왔다는 임계장이나 최대리가
두세 달에 한 번씩 아이들을 모아놓고
탕수육에 소주를 먹이며 생산성이 어떻고
수출이 어떻고 했을 때도 그 알량한 말보다
우리는 내팽개친 고향의 논답들을 생각했다
테레비에 나오는 계집들처럼
미끈하게 생기진 못했을지라도 어쩌다 마주치는
공순이들이 고향 동창년들처럼 친근감이 드는 것은
집을 나간 누나가 원하는
배부른 삶을 싫어하기 때문이 아니다
가난하고 배우지 못했지만 못생긴 우리끼리
살을 비비며 산다는 건 얼마나 좋은 일인가
기계과에 새로 들어온 계집애처럼 생긴 녀석은
이상하게 무시무시한 말만 하지만
어느 나라에서는 우리같이 무식한 놈들도
떳떳하게 살아간다는 그 말이
거짓말 같지만은 않은 것은
임계장이나 최대리가 사주는 탕수육과 소주를 먹으며
점심시간에 틀어주는 서양노래를 들으며

양계장을 했던 강씨가 닭모이에 무슨 약을 섞어주고
음악을 틀어주면 알을 쑥쑥 낳는다고 말했을 때
우리가 어쩌면 알을 낳는 암탉들인지도 모른다고
생각한 적이 있기 때문만은 아니다
이제 갓 선반을 잡은 오형이 뉴타운스텐드빠
미스 최에게 월급을 몽땅 날리고 취해 돌아와
그래도 자식만은 고등학교까지 시킬 거라고 말했을 때
내가 쓸쓸하게 웃었던 것은 술을 퍼마시고
늦게 취해 돌아오실 때마다 내 머리를 쓰다듬으며
너만은 고등학교까지 시킬 거라고 하시던
아버지 말씀이 생각나서가 아니었다
도대체 우습지 않은가
기계과에 새로 들어온 계집애처럼 생긴 녀석은
우리도 단결하기만 하면
얼마든지 잘살 수 있다고 말하지만
가난하기 때문에 집을 나가야 한다면
배부른 사람들만 모여산다는 말인가
알을 낳는 닭들은 알을 품지도 못하고
폐계가 되면 고기맛도 없다고 싸구려로 팔릴 뿐이지만

폐계가 되더라도 우리는 함께 살아야 한다
가리봉시장 튀김집에서 마주친 계집애에게
이상하게 마음이 끌렸던 것은
고향을 떠나온지 어느덧 4년이 지나고
누나나 나처럼 그렇게 떠돌아다니는
그 아이가 처량해 보여서가 아니다
비록 가난하고 배우지 못했지만
자꾸만 고향생각이 나고 식구들이 그리운 것은
아무리 어렵고 힘든 세상일지라도
못생긴 얼굴끼리 살을 비비고 함께 살고 싶기 때문이다
누나가 집을 나간 것은 옳지 않다
우리를 헤어져서 살게 하는 세상은 옳지 않다

우리를 헤어져서 살게 하는 세상은 2

누나가 집을 나간 것은 옳지 않다
새벽같이 일어나 부은 손으로 밥술을 뜨고
만원버스에 콩나물이 되어 짐짝처럼 부려질지라도
타임기에 도장을 찍고 쇠를 깎는 기계가 될지라도
새까만 얼굴 새까만 손으로 여물같은 개밥을 씹으며
하얀 이를 드러내고 웃을지라도 우리는 기계 소음 속에서
고향에서 부르던 정겨운 노래들을 부를 수 있다
자욱한 먼지 기름냄새 속에서도 우리는 담배를 피워물고
고향에 두고 온 어머니와 흙내음을 기억할 수 있다
잔업을 마치고 돌아오는 길에 우리는 포장마차에 들려
소주를 마시고 피곤한 육신을 달래며
가난한 식구끼리 모여살 내일을 꿈꿀 수 있다
그렇지만 고향은 우리들의 노래는
내일의 꿈은 도대체 무엇인가
누나는 다시 집을 나가고
어머니는 빚걱정으로 밤을 지새운다
주물반 김씨는 열여덟에 집을 나와
여기 저기 떠돌아다니며 안 해본 일이 없고
쇳물도 벌써 칠 년이나 부었지만 중학교를 갓 졸업한

아들내미를 구두공장에 집어넣고 쓸쓸하게 웃었다
정형은 고등학교를 중퇴하고 십 년이나 기름밥을 먹었지만
아직도 가리봉동 벌집에서 파드득거리는 일당쟁이 아닌가
임계장이나 최대리는 기업의 번창과 나라의 번영과
행복한 내일을 지껄여대지만 누나는 집을 나가고
아버지는 오늘도 농약을 뿌리고 지친 육신을 달래며
선반을 돌리고 있을 나를 생각할 것이다
누가 우리에게 행복으로 가득한
내일의 허황된 꿈을 강요하는가
저임금과 장시간 노동 위에 저들은
번영의 탑을 쌓고 착취의 시커먼 굴뚝 위로
평화의 비둘기를 띄우지만 며칠 계속되는 철야에 지쳐
신문지를 깔고 차디찬 시멘트 바닥 위에 잠든
동료들의 얼굴 움찔거리는 경련 속에
우리는 분노를 발견한다
때묻은 가난으로 우리가 그릴 수 있는 가장 확실한 것
보이지 않아도 들리지 않아도 가슴을 치고 올라오는
분노만이 우리들이 살아있는 유일한 증거이다
내일의 행복이 아니라 내일의 행복이라는 구호를 팔고

우리들의 노동을 앗아가는 모든 허위의 음모에 우리는 분노한다
이제 더이상 우리들의 삶을 갈라놀 수는 없다
이제 더이상 우리들을 헤어져서 살게 할 수는 없다
일한만큼 대가를 달라고 말하는 것이 옳지 않다고
사장도 부장도 경찰서장도 핏대를 올리지만
이른 아침부터 밤늦게까지 일해본 사람이면 안다
가난한 식구들과 작별을 하고 고향을 떠나본 사람이면
여기저기를 떠돌아다니며 땀흘려 일해본 사람이면
우리가 단순히 배부르기를 원하는 것이 아니란 것을 안다
우리가 원하는 것은 우리가 사장이 되고 부장이 되고
경찰서장이 되어 가난한 이웃들의 삶을 앗아가는 게 아니다
가난한 이웃들의 삶을 갈라놓는 게 아니다
우리는 우리의 노동이 생존의 수단이나 착취의 대상이 아니라
기쁨으로 가득한 만남과 나눔의 삶이길 원한다
임계장이나 최대리가 말하는 내일의 행복이
우리들의 삶에 가능하기 위해 필요한 것은
탕수육과 소주가 아니다
행복의 구호가 아니다
사장이나 부장의 회유 속에서 경찰서장의 협박 속에서

우리는 우리들의 삶을 가로막는 모든 허위의 음모를 발견한다
일한만큼 대가를 달라고 말하는 것이 옳지 않다고
사장도 부장도 경찰서장도 핏대를 올리지만
일손을 놓고 농성장으로 모이는 동료들의 뜨거운 눈빛
튼튼한 어깨 굳센 팔뚝으로 서로를 마주잡는 거친 숨결들 속에
우리는 빼앗긴 노동의 기쁨이 되살아날 수 있음을 확인한다
집을 나간 누나와 밤을 지새우는 어머니
육십 평생을 흙에 바쳐온 아버지의 가난한 삶이
땀흘려 일하는 삶들의 빼앗긴 노동이
주물반 김씨 가공반 정형 이형 금형반 영훈이
영선반 아주머니들의 마주잡은 억센 팔뚝 속에
치떨리는 분노와 노여움 속에
사람사는 세상에의 뜨거운 갈망 속에
기쁨으로 되살아날 수 있음을 확인한다
이제 더이상 우리들의 삶을 갈라놓을 수는 없다
이제 더이상 우리들을 헤어져서 살게 할 수는 없다

5부

고향의 봄
1983~1986

봄

봄타령

꽃지면

나무

내가 죽어

소양강에서

병기수입을 하며

옛 전우의 뼈를 묻은 밤에는

햄버거

고향의 봄

봄

우리 사랑도
그리움도
계절을 지나
어둠을 허덕이지만

지금은 거친 산천
하늘만 푸르릅디다
아지랭이만 탑디다

할미 설움이 강을 이루고
푸르름으로 피어나도
그림자도 없이
지금은 남의 땅
서성이지만

우리 사랑은
그리움은
다시 눈물로 피어나고
하늘만 푸르릅디다

아지랭이만 탑디다

봄타령

진달래야 진달래야
너 없이도 이 산천
아지랭이 언덕 넘어
봄내음은 온다는데
무에 그리 서러워서
가시도 없이 붉게 붉게
이 산천 메우느냐

진달래야 진달래야
설운 님 고운 님은
허이허이 가슴치며
버들피리 입에 물고
아리랑 고개 넘어
잘도 울며 갔는데
설워도 못내 그리워
하늘하늘 나래 떨며
눈시울 붉히느냐

진달래야 진달래야

잠든 산천 어둠 속에
하늬바람 시리워도
다시 푸르를 언덕을
다시 푸르를 하늘을
핏빛으로 소리치며
꽃넋으로 돌아오는
내 설운 그리움아

꽃지면

꽃지면
나도 가리라
그대 넘던
아리랑 고개

우리 설움도
풀빛 짙어오면
빈 메아리
허공에 스러지고
다시 부를
노래도 없이
이 산천

꽃지면
나도 가리라
그대 넘던
아리랑 고개

나무

나무는
자신이 서 있는 땅을
버리지 않으며
한겨울 속에서도
잎새를 떨구고
죽음의 빛깔로 말없이
생명을 키우며
어둠 속에서도
숲을 이루고 있다

내가 죽어

내가 죽어 넋이라도
푸른 하늘 떠돌 수 있다면
이 땅에 혹은 풀잎으로
푸른 외침 가질 수 있다면
바람에 스러지는 잎이라도
서러운 흙일 수 있다면
맑은 햇살에 나래 떠는
풀꽃일 수 있다면

지금은 빼앗긴 남의 땅
하늘 아래 발디딜 곳도 없이
잠든 산천 서성이지만
서러운 땅 알몸으로 뒹굴며
재갈 물려 피흘릴지라도
머리 풀고 가시풀 밟으며
가슴에 비수 박고 쓰러진들
이 땅의 어두운 목청이여
우리 하나일 수 있다면
다시 푸르를 하늘

목놓아 부를 수 있다면

내가 죽어 바람으로
푸른 산천 흐를 수 있다면
차라리 썩은 흙으로
꽃피울 수 있다면
푸른 바람에 서걱이는
풀잎일 수 있다면

소양강에서

얼음을 깨고 식기를 담그면
통역이 필요없는
네 욕설이 들린다
간나새끼 간나새끼
꾹꾹 눌러 참은 한을
식기를 닦으며 푸는 줄
왜 내가 모르겠니
나도 너와 같아서
씨팔새끼 씨팔새끼
가슴이 후련해지도록
욕을 하지만
우리네 한이 합하여
저 태평양까지 흘러가는 줄
누가 알겠니
통역이 필요없는 적이여

병기수입을 하며

매복을 서고 돌아온 밤이면
희미한 불빛 아래 쪼그려 앉아
남의 나라 총을 닦으며
그렇게 이 밤에도 나처럼
남의 나라 총을 닦고 있을
너를 생각한다

네 가슴을 겨누던 총구와
내 가슴을 겨누던 총구가
우리의 것이 아니라면
희미한 불빛 아래 너와 나는
남의 나라 총을 닦고 있는
남의 나라 총이 아닌가

옛 전우의 뼈를 묻은 밤에는

비무장지대에서 주워온
뼈를 묻으며
어느 쪽 전우였는가는
생각할 수 없었다

어머니를 그리던
열일곱 살짜리 앳된 소년이었을까
아니면 초롱초롱한 눈망울의 아이를
고향에 두고온 돌이 아범이나
차운 만주벌을 말달리던
독립군 출신 노병이었을지도 몰라
사십 년이나 지났는데
왜 아직 썩어 흙이 되지 못했을까

비무장지대에서 주워온
옛 전우의 뼈를 묻은 밤에는
별빛이 하냥 맑아
잠이 오지 않았다

햄버거

식생활 개선으로 아침에 급식되는 햄버거는
커다란 고통이었다
배는 고프고 먹기는 먹어야겠는데
속에선 받아들이질 않는다
날마다 설사를 하면서도 억지로 햄버거를 씹고
햄버거에 쫓겨난 된장국과
베트남전쟁에서 죽어가던 수많은 사람들이
팀스피리트훈련으로 떠나간 이웃부대에
끝없이 내리던 함박눈과
멀리서 날아온 이방인들을 환영하는
성조기와 태극기의 물결이 겹쳐지고
눈은 자꾸만 자꾸만 내리는데
햄버거와 된장국과 삼팔선이
베트남전쟁과 이방인들의 기나긴 행군대열이
성조기와 태극기들이
그리고 내 오장육부가
날마다 설사로 배설되곤 했다

고향의 봄

비무장지대에서 제초작업을 할 때
고생한다며 너희들이 불러준
고향의 봄에 대한 답례로
우리가 왜 이은하의 밤차를 불렀는지
지금 생각하면 우습기만 하지만
군관동무가 뭐라고 한참 지껄이다가
뒤로 돌아서자 팔뚝을 먹이는 너를 보고
기분이 마냥 좋았다

러시아풍의 장엄한 행진곡과
팝송조의 경쾌한 음악은
지뢰밭을 누비며 사십 년을 흐르지만
너나 나나 달빛이 처량하면
고향에 두고온 가난한 식구들을 생각하며
옛노래에 젖는 것은 마찬가지 아니겠니

나의 살던 고향은 꽃피는 산골이 아니지만
신작로 길을 따라 타들어가는 벼포기와
어머니의 주름진 얼굴이 아픔으로 남아있지만

우리들의 노래로 우리들의 고향이
복숭아꽃 살구꽃 아기 진달래
흐드러지게 피어나는 봄일 수 있다면
이제는 우리도 옛노래로 만나고 싶구나

고성능 확성기를 흐르는
러시아풍의 장엄한 행진곡도
팝송조의 경쾌한 음악도
이제는 저희들의 나라로 돌아가고
남북으로 울긋불긋 꽃대궐 아름다운 산천
우리들의 옛노래로 흐드러지게 피어나는
우리들의 봄을 목놓아 부르고 싶구나